Ingo Siegner

Der kleine Drache Kokosnuss und der Schatz im Dschungel

Ingo Siegner

Der kleine Drache Kokosnuss
und der Schatz im Dschungel

cbj

cbj ist der Kinder- und Jugendbuchverlag
in der Verlagsgruppe Random House

Verlagsgruppe Random House FSC® N001967
Das für dieses Buch verwendete FSC®-zertifizierte Papier
Condat matt Perigord liefert die Papier Union GmbH.

Gesetzt nach den Regeln der Rechtschreibreform.

10. Auflage
© 2009 cbj, München
Alle Rechte vorbehalten
Umschlagbild und Innenillustrationen: Ingo Siegner
Lektorat: Hjördis Fremgen
Umschlagkonzeption: Basic-Book-Design, Karl Müller-Bussdorf
hf · Herstellung: WM
Satz und Reproduktion: Lorenz & Zeller, Inning a. A.
Gesamtproduktion: Print Consult, München
ISBN 978-3-570-13645-4
Printed in the Slovak Republik

www.cbj-verlag.de
www.drache-kokosnuss.de

Inhalt

Fund in der Felsenbucht

Der kleine Drache Kokosnuss, das Stachelschwein Matilda und der Fressdrache Oskar
verbringen den Nachmittag in der Felsenbucht
am Großen Dschungel.
»Bald sind die Ferien vorbei und wir haben
noch überhaupt kein richtiges Abenteuer erlebt«,
brummt Kokosnuss.
»Ach«, seufzt Matilda und streckt sich im
warmen Sand aus. »In der Felsenbucht brauche
ich gar kein Abenteuer.«
»Stimmt«, sagt Oskar. »Hier ist immer prima
Klima!«
Oskar hat es sich im Schatten der Felsen bequem
gemacht.
»Dass du immer an den kalten Felsen klebst, wo
doch die Sonne so schön scheint«, sagt das
Stachelschwein und blinzelt auf das glitzernde
Meer hinaus.
»Die Felsen«, erwidert Oskar, »sind viel älter als

7

Drachen und bergen Geheimnisse!«

»Pah, Geheimnisse«, spottet Matilda.

»In diesen Felsen hier ist zum Beispiel ein Kreuz eingeritzt«, sagt Oskar.

Kokosnuss blickt auf: »Da ist ein Kreuz eingeritzt?«

»Sicher, guck doch, hier!«

Kokosnuss schaut sich das Kreuz genau an.

»Hm, es scheint sehr alt zu sein.«

»Hab mich schon die ganze Zeit gefragt, was das zu bedeuten hat«, murmelt Oskar.

Da beginnt Kokosnuss plötzlich, unterhalb des Felsens im Sand zu graben.

»Was machst du denn da?«, fragt Matilda.

»Vielleicht ist unter dem Felsen ein Schatz vergraben«, antwortet Kokosnuss.

»Ach so, natürlich, was denn sonst«, sagt Matilda.

Da ist doch nie im Leben ein Schatz vergraben, denkt das Stachelschwein. Den hätte schon längst jemand gefunden.

Kokosnuss aber gräbt weiter. Immer tiefer gräbt

er, bis er stutzt. »Ich habe etwas gefunden!«
Tatsächlich, tief aus der Erde unter dem Felsen
holt der kleine Drache ein tönernes Gefäß
hervor, das mit einem Korken verschlossen ist.
Oskar staunt und Matilda krabbelt neugierig
näher. Vorsichtig zieht Kokosnuss den Korken
heraus.
»Und?«, fragen Matilda und Oskar.
»Hm«, brummt Kokosnuss und fischt ein
taschentuchgroßes Stück Leder
heraus.

»Da steht etwas drauf!«, ruft Oskar aufgeregt. Kokosnuss entfaltet das Leder. Darauf sind ein Schwein und eine Schlange gezeichnet. Genau unter dem Schwein ist ein kleines Kreuz zu sehen.

»Hm, das Kreuz zeigt vielleicht, wo ein Schatz versteckt ist«, murmelt Kokosnuss. »Und das Schwein passt auf den Schatz auf.«

»Ein Schatzschwein«, kichert Oskar.

»Das ist kein echtes Schwein«, meldet sich Matilda, »sondern ein Felsen, der aussieht wie ein Schwein. Den kenne ich. Der liegt im Dschungel, dort, wo die große Würgeschlange lebt.«

»Deshalb ist ja auch die Schlange abgebildet«, ruft Kokosnuss freudig. »Nichts wie hin! Da liegt ein Schatz, ist doch klar wie Kleister!«

»Mich kriegen da keine zehn Drachen hin«, sagt Matilda und verschränkt entschlossen ihre Arme vor der Brust.

»Ach, Matilda, wir sind doch schon einmal mit der großen Würgeschlange fertig geworden«,

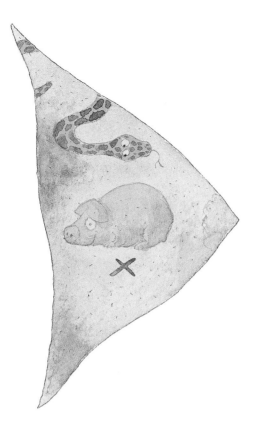

erwidert Kokosnuss, denn er hätte Matilda gern
dabei.

»Du kannst dich auf den Kopf stellen und
zehnmal ›Alle meine Schweinchen‹ singen – da
gehe ich nie mehr hin!«

»Okay«, seufzt Kokosnuss. »Und was ist mit dir,
Oskar?«

»Eine Schatzsuche?«, sagt Oskar. »Ich bin
dabei!«

Die große Würgeschlange

Aus der Werkstatthöhle der Drachen holen
sich Kokosnuss und Oskar die Dinge, die sie
für eine Dschungel-Expedition brauchen: ein
Buschmesser, ein Seil, eine kleine Öllampe
und Schaufeln zum Graben. Sie verstauen alles
in ihren Wandertaschen und lassen sich von
Matilda den Weg zum Schweinefelsen erklären.
Die beiden versprechen, bis zum Sonnenunter-
gang wieder zurück zu sein. Denn wer den
Dschungel nicht kennt, der sollte ihn vor
Einbruch der Nacht besser wieder verlassen.

Als die Drachenjungen das Dickicht des Dschungels betreten, wird es finster. Nicht so schwarz-
finster wie in einer mondlosen Nacht, sondern
grünfinster wie im tiefsten Busch, denn das
dichte Blattwerk der mächtigen Urwaldbäume[1]
lässt nur wenige Sonnenstrahlen hindurch.

[1] Der Dschungel wird auch Urwald genannt.

Ihre Augen haben sich bald an das Dschungel-dunkel gewöhnt. Im Dschungel leben unzählige Tiere. Und die kreischen, singen, brüllen, krächzen, quasseln, rascheln, lachen und plap-pern alle wild durcheinander.

»Was für ein Lärm und Gewimmel hier«, staunt Oskar.

»Kann man wohl sagen«, murmelt Kokosnuss, und er erinnert sich, wie er sich im Dschungel einmal fürchterlich verirrt hat.

Zu blöd, dass Matilda nicht mitgekommen ist. Sie würde sich hier gut auskennen, denn sie ist ja im Dschungel zu Hause.

Vorsichtig marschieren die beiden Drachen-jungen voran. Nach einer Weile bleibt Kokosnuss stehen: »Sind wir hier richtig?«

»Keine Ahnung«, sagt Oskar. »Im Dschungel sieht alles so gleich aus. Überall ist es grün. Sogar dieser Felsen hier ist grün.«

»Der ist voller Moos«, staunt Kokosnuss.

»Hm«, brummt Oskar. »Weißt du, wie der Felsen aussieht?«

»Wie ein von Moos bedeckter Felsen?«

»Nein, wie ein von Moos bedecktes Schwein!«, sagt Oskar.

»Der Schweinefelsen!«, ruft Kokosnuss. »Wir haben ihn gefunden!«

Die Drachenjungen setzen gerade die Schaufeln an, um nach dem Schatz zu graben, als sie ein Zischeln hören.

»Was war das?«, fragt Oskar.

Kokosnuss blickt sich um:
»Das klang wie eine Schla ...«
Im selben Moment zischt aus einem
Baum ein kräftiger Schlangenschwanz
hervor, schnappt sich blitzschnell die
beiden Drachenjungen und hebt sie empor,
sodass sie kopfüber in der Luft hängen.
Wütend speit Kokosnuss Feuer, doch sosehr er
sich auch windet, sein Feuerstrahl kann das
Reptil[2] nicht erreichen. Da kommt der Kopf
der Schlange aus dem
Baumgrün hervor.
»Zzzzzzz«,
zischt sie.
»Versuch es
nur, du Würst-
chen! Dein
Feuerstrahl
ist viel zu
kurz und ich

[2] Schlangen gehören zu den Kriechtieren, wie auch Eidechsen, Schild-
kröten oder Krokodile. Diese werden auch Reptilien genannt.

16

bin viel zu lang, hähä!«
Oskar ruft zornig: »Wenn
du mir zu nahe kommst,
dann beiße ich dir die
Nase ab!«
»Und ich«, ruft Kokosnuss,
»verbrutzle dir deine Zunge,
du Gartenschlauch!«
»Hähähähähä!«, lacht die
Schlange hämisch. »Ihr könnt
reden, so viel ihr wollt! Ich habe

Zeit. Bald schlaft ihr ein, und dann: Mjamjam!
Ihr könnt mir überhaupt nichts, ihr Gürkchen!«
Plötzlich hören Kokosnuss und Oskar eine
Stimme, die ihnen sehr bekannt vorkommt:

17

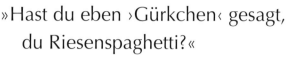

»Hast du eben ›Gürkchen‹ gesagt,
du Riesenspaghetti?«
Wütend fährt die Schlange
herum und erblickt ein
kleines Stachelschwein.
»Matilda!«, rufen die
Drachenjungen.
»Genau!«, sagt Matilda. »Und
ich habe noch einen Freund mitgebracht.«
»Soso«, zischelt die Schlange bedrohlich. »Sicher
ein zzzweites Stachelschwein. Na, das wird ja
ein wahrer Festschmaus heute!«
»Pupsi, kommst du mal?«, ruft Matilda.
Da springt ein Stinktier aus dem Busch heraus.
»Oh nein!«, ruft die Schlange und zuckt zurück.
»Würdest du meine Freunde bitte freilassen?«,
fragt Matilda höflich.
Die Schlange schluckt und stottert: »Ach ja,
natürlich, war ja auch nur ein kleiner
Scherzzzzzz.« Vorsichtig setzt sie Kokosnuss und
Oskar wieder auf den Boden. »Wie ihr sicher
wissssst, esssssse ich gar keine Drachen. Ich

18

wollte euch nur foppen, ähem. Darf ich mich jetzt zzzurückziehen?«

»Darfst du«, sagt Matilda.

Im Nu ist die riesige Schlange im dichten Dschungelgrün verschwunden.

»Klasse«, ruft Kokosnuss erleichtert, »dass du doch noch gekommen bist!«

Matilda wird ganz rot und sagt: »Ihr kennt euch doch im Dschungel gar nicht aus. Da habe ich ein schlechtes Gewissen bekommen. Und dann fiel mir Pupsi ein.«

»Eigentlich heiße ich ja Blümchen«, meldet sich das Stinktier schüchtern.

»Pupsi passt aber besser«, erklärt Matilda. »Er ist der Schrecken der Raubtiere. Pupsis Pupse vertreiben sogar die größten unter ihnen!«[3]

»Übertreib mal nicht«, sagt Pupsi Blümchen und fügt hinzu: »Leider muss ich jetzt gehen. Ich habe noch zu tun.«

»Vielen Dank!«, rufen die Drachenkinder dem Stinktier nach.

»Pupsi hat viele Termine«, erklärt Matilda. »Er ist sehr gefragt als Beschützer und Leibwächter.«

»Wir haben auch noch etwas vor!«, erinnert sich Kokosnuss und schwingt die Schaufel.

Alle drei suchen unter dem Schweinefelsen nach dem Schatz. Viele Stunden graben sie. Als es dunkel wird und die Freunde schon aufgeben wollen, ruft Matilda plötzlich: »Hier ist etwas!«

»Der Schatz?«, fragt Kokosnuss aufgeregt.

---

[3] Stinktiere, auch Skunks genannt, können aus ihrem Popo eine sehr, sehr übel riechende Flüssigkeit bis zu sechs Meter weit hinausschießen. Davor fürchten sich selbst die gefährlichsten Tiere.

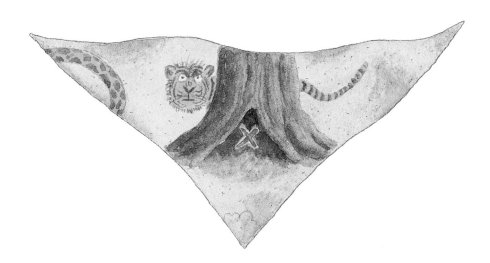

»Nee«, sagt Matilda enttäuscht und zieht ein
weiteres Tongefäß aus der Erde. Es gleicht dem
ersten und auch in diesem Gefäß steckt ein Stück
Leder mit einer Zeichnung. Die zeigt einen
Tigerkopf, eine Baumhöhle und ein Kreuz, genau
auf der Baumhöhle.
»Der Schatz ist in einer Baumhöhle versteckt!«,
ruft Oskar.
»Und zwar im Tigergebiet«, sagt Matilda.
»Auweia«, murmelt Kokosnuss. Er ist dem
Dschungel-Tiger schon einmal begegnet. Das
war ziemlich ungemütlich.

»Das war's dann wohl«, sagt Matilda. »Der Tiger ist eine Nummer zu groß für uns. Und Pupsi kann uns nicht begleiten. Der ist viel zu beschäftigt.«

»Wir haben doch Oskar dabei«, überlegt Kokosnuss. »Tiger haben großen Respekt vor Fressdrachen, weil diese viel mehr Zähne haben und auch noch schärfere und spitzere. Stimmt's, Oskar?«

»Glaube schon«, brummt Oskar.

»Aber Oskar ist kleiner als der Tiger!«, erwidert Matilda.

»Doch er hat genauso viele Zähne wie ein großer Fressdrache«, sagt Kokosnuss.

»Stimmt«, grinst Oskar.

Kokosnuss zwinkert Oskar zu.

»Na gut«, seufzt Matilda. »Ich bin dabei.«

Geschickt fertigt das Stachelschwein aus Blättern und Lianen zwei Hängematten. Oskar bindet die Hängematten an den Bäumen fest und Kokosnuss entfacht ein Lagerfeuer. So verbringen die drei Freunde ihre erste Nacht inmitten des Dschungels.

Der Dschungel-Tiger

Am Morgen wacht Kokosnuss als Erster auf:
»Aufstehen, ihr Schlafmützen!«
Der kleine Feuerdrache kann es kaum erwarten,
die Baumhöhle zu finden, in der der Schatz
verborgen ist. Als die Freunde das Gebiet des
Tigers erreichen, ist es bereits Mittag.
»Hab ich einen Hunger!«, stöhnt Oskar.
Matilda rollt mit den Augen und pflückt von
einem Mangobaum ein paar saftige Früchte.
»Im Dschungel gibt es immer genug zu essen.
Man muss nur wissen, wo.«
»Wow!«, frohlockt Oskar und mampft eine
Frucht nach der anderen.
Kokosnuss aber ist nicht hungrig. Er ist viel zu
aufgeregt.
»Wir müssen die Baumhöhle finden!«
»Geht nur schon vor!«, sagt Oskar mit vollem
Mund. »Ich komme gleich nach!«

Kokosnuss und Matilda sind noch nicht weit
gegangen, als das Stachelschwein anhält.
»Was hast du?«, fragt der kleine Drache.
Matilda schnüffelt: »Hier riecht es nach, hm,
nach ...«
Plötzlich blitzt etwas durch das Dickicht. Matilda
zuckt zusammen.
»Wir werden beobachtet!«, flüstert sie.
Kokosnuss blickt in das undurchdringliche Grün.
Da, schwarze Streifen auf orangefarbenem Fell!
Kokosnuss bekommt weiche Knie – der
Dschungel-Tiger!

Matilda rasselt mit ihrem Schwanz.
Wo bleibt nur Oskar?
»Nur nicht zu schnell bewegen«,
flüstert Matilda. »Vielleicht haben
wir ja Glück und er hat gar keinen
Hunger.«
Glück hin oder her, denkt Kokosnuss. Wenn dieser Tiger frech wird,
dann werde ich es ihm schon
zeigen!

Kaum hat der kleine Drache diesen Gedanken zu Ende gedacht, ertönt ein ohrenbetäubendes Gebrüll, und der riesige Dschungel-Tiger bricht durch das Gebüsch.

»Du warst doch schon mal hier!«, herrscht er den kleinen Feuerdrachen an.

»Ja, äh, stimmt«, stottert Kokosnuss. Er hatte ganz vergessen, wie groß dieser Tiger ist und wie mächtig seine Pranken sind.

»Und hatte ich dir nicht gesagt, dass ich dich auffresse, wenn du mein Revier noch einmal betrittst?«

»Äh, doch, schon«, stottert Kokosnuss. »Aber, äh, diesmal suchen wir einen Schatz, und da dachte ich ...«

»Schatz oder Spatz oder Katz oder Schmatz, das ist mir egal!«, brüllt der Tiger.

Vor Schreck stößt Kokosnuss einen Feuerstrahl
aus, leider nur einen ganz winzigen.

»Was war denn das für ein Flämmchen?«, höhnt
der Tiger.

»Äh, ich könnte eine viel größere Flamme
speien«, sagt Kokosnuss.

Doch der kleine Drache zittert so sehr, dass er
ganz bestimmt keinen größeren Feuerstrahl
hinbekommen würde. Hilfe suchend blickt er zu
Matilda, aber das Stachelschwein sieht selbst aus
wie ein Häuflein Elend. Ihre Stacheln zittern wie
Zittergras.

In diesem Augenblick stolpert Oskar aus dem Dickicht hervor: »Hallo Leute, wie steht's? Habt ihr die Baumhöhle gef… ups, der Tiger!«

Dieser aber zuckt fast unmerklich zusammen, als er Oskar erblickt.

»Ein Fressdrache«, murmelt er, richtet sich auf und sagt laut: »Gestatten, mein Name ist Tiger, Horst Tiger.«

Auch Oskar macht sich größer: »Ich bin Oskar und dies sind meine Freunde Kokosnuss und Matilda.«

»Ach so, das sind deine Freunde. Das ist ja, wie soll ich sagen, erstaunlich. Nun, aber, ähem, das ist dann natürlich etwas anderes. Deine Freunde sind auch meine Freunde, selbstverständlich.«

Verblüfft blicken Kokosnuss und Matilda erst zum Tiger und dann zu Oskar. Als dieser mit den Schultern zuckt, holt Kokosnuss flink das Lederstück mit der Zeichnung hervor und fragt den Tiger: »Kennst du zufällig diese Baumhöhle?«

Der Tiger kneift die Augen zusammen: »Natürlich kenne ich die. Ich kenne hier jeden Baum und jeden Strauch.«

Er führt die Schatzsucher zu einem Baum, in dessen Wurzelwerk der Eingang zu einer Höhle versteckt ist.

»Jetzt muss ich mich aber verabschieden«, sagt der Tiger. »Brauche noch eine Kleinigkeit zu futtern.«

Und mit einem eleganten Satz verschwindet die große Katze im Unterholz.

»Ein Glück, dass du dabei bist, Oskar«, seufzt Matilda. »Sonst wären wir jetzt Tigerfutter.«

In der Baumhöhle ist es stockfinster. Kokosnuss
entzündet die kleine Öllampe. Dichtes Wurzelwerk und unzählige Spinnweben durchziehen
die Höhle.

»H-hier gibt's ja Spinnen!«, flüstert Oskar.

»Im Dschungel gibt es unzählige Arten von
Spinnen«, sagt Matilda. »Winzige, mittlere und
ziemlich große Spinnen mit dicken Körpern und
haarigen Beinen.«

»Äh, haarige Beine?«, wiederholt Oskar.

»Ja, Vogelspinnen heißen die.«

»Äh, also, ich kehre dann mal um«, sagt Oskar.

»Jemand muss ja vor der Höhle Wache halten.«
Und schon ist der kleine Fressdrache in Richtung
Ausgang verschwunden.

»So was«, murmelt Kokosnuss. »Ich dachte
immer, Oskar kennt keine Angst. Und jetzt läuft
er vor ein paar Spinnen davon.«

»Dabei tun die gar nichts«, sagt Matilda. »Wir
dürfen sie nur nicht erschrecken.«

Plötzlich hält Kokosnuss inne: »Sieh mal, dort,
unter der Wurzel!«

Als die beiden sich der Wurzel nähern, erkennen sie ein kleines Tongefäß.

»Schon wieder so ein oller Ton-Pott!«, seufzt Kokosnuss enttäuscht. Er hatte so sehr auf einen richtigen Schatz gehofft!

Matilda hat das Gefäß bereits geöffnet. Wieder fällt ein Stück Leder heraus. Im Licht der Lampe erkennen die beiden eine Zeichnung: ein Krokodil, ein Fluss, ein Boot und darunter ein Kreuz.

»Ich weiß, wo das ist!«, sagt Matilda. »Der Krokodilfluss. Wenn wir uns beeilen, sind wir noch vor Einbruch der Dunkelheit dort!«

Als die beiden vor der Höhle auf Oskar treffen, berichten sie von ihrem Fund.

»Auf geht's zu den Krokodilen!«, seufzt Oskar erleichtert. »Ich liebe Krokodile! Die sind schön groß und krabbeln nicht in dunklen Höhlen herum!«

Das Flusskrokodil

Bis in den Nachmittag hinein schlagen sich die drei Abenteurer durch das Dickicht des Dschungels. Als die Sonne schon tief am Himmel steht, haben sie das Ufer eines breiten Flusses erreicht. Träge zieht das Wasser an ihnen vorüber.

Matilda zeigt auf ein schmales Stück Holz, das in der Mitte des Flusses aus dem Wasser ragt.

»Das ist ein alter Segelmast. Am Grund des Flusses liegt ein Boot«, erklärt Matilda. »Es soll schon viele hundert Jahre dort liegen. Bestimmt ist es das Boot auf der Zeichnung.«

»Und was ist das dahinter?«, fragt Kokosnuss.

»Das ist eine Sandbank«, erklärt Matilda.

»Nein, ich meine das, was auf der Sandbank liegt«, sagt Kokosnuss und kneift die Augen zusammen.

»Das, äh«, sagt Matilda und blinzelt angestrengt, »müsste das große Flusskrokodil sein. Die Sandbank ist sein Lieblingsplatz.«

»Na toll!«, brummt der kleine Feuerdrache. »Ich tauche doch nicht nach dem Schatz, wenn dieses Riesenkroko in der Nähe ist.«

»Hm«, überlegt Matilda. »Wir könnten ein Floß bauen. Damit fahren Oskar und ich zu dem versunkenen Boot und du fliegst zur Sandbank und lenkst das Krokodil ab.«

»Gute Idee, Matilda!«, sagt Kokosnuss.

Schon beginnt Oskar, Holz für das Floß zu sammeln, als Matilda ruft: »Warte, Oskar, ein Floß kann man nur mit bestimmtem Holz bauen. Es muss ganz leicht sein und gut schwimmen.« Das Stachelschwein sucht leichtes Schwimmholz und Gräser zum Zusammenbinden. Als die Nacht hereinbricht, ist das Floß fertig.

Am nächsten Morgen steuern Matilda und Oskar das Floß mit einem langen Stakholz[4] auf den Bootsmast zu. Kokosnuss aber fliegt hinüber zu der Sandbank, auf der noch immer das Krokodil liegt. Vorsichtig landet er auf dem äußersten Sandzipfel. Der kleine Drache staunt. So ein großes Krokodil hat er noch nie gesehen. Es hat seine Augen geschlossen.
Vielleicht schläft es. Dann lasse ich es besser schlafen, denkt Kokosnuss.

[4] Ein Stakholz ist eine Stange, die bis zum Grund des Flusses reicht. Damit kann man sich abstoßen und ein Floß voranbringen und steuern.

Er blickt zu Matilda und Oskar hinüber. Die beiden haben den Segelmast des versunkenen Bootes fast erreicht. Plötzlich nimmt der kleine Feuerdrache eine Bewegung wahr. Das Krokodil! Es hat die Augen geöffnet und starrt ihn an!
Was jetzt? Es darf auf keinen Fall das Floß sehen! Kokosnuss geht langsam in die andere Richtung. Der Blick des Krokodils folgt ihm.
Bestens! Nur dem Maul nicht zu nahe kommen! Denn Krokodile können nämlich blitzschnell zuschnappen. Da! Oh nein, es blickt zum Floß hinüber!
Kokosnuss fliegt in die Höhe und ruft: »Heda, du Pickelgurke! Hier bin ich!«

Langsam wendet sich das Krokodil um.

»Na los!«, ruft der kleine Drache. »Fang mich doch, du Runkelrübe!«

Da brummt das Krokodil: »Du glaubst wohl, ich bin blöd. Bin ich aber nicht.«

Verblüfft bleibt Kokosnuss flatternd in der Luft stehen: »W-wie meinst du das?«

Das Krokodil blickt wieder zum Fluss und antwortet: »Du willst mich von deinen Freunden ablenken.«

»Äh, öhm, okay, nicht schlecht. 1:0 für dich. Aber du fängst mich trotzdem nicht!«

»Muss ich auch nicht, du Flugobst. Ich kann ja ganz gemütlich zum Floß schwimmen und deine Freunde verspeisen. Die können ja nicht fliegen. Haben jedenfalls keine Flügel.«

»Äh, gut, verstehe«, sagt Kokosnuss. »Aber sieh mal, liebstes Kroki, äh, Krokilein, so ein Fressdrache schmeckt überhaupt nicht und ein Stachelschwein hat lauter Stacheln und zersticht dein Maul. Schmeckt auch nicht.«

Das Krokodil grinst: »Keine Sorge, kleiner Drache. Ich habe neulich eine fette Riesenwasserschlange verputzt. Das reicht für ein paar Wochen.«

Da fällt Kokosnuss ein Stein vom Herzen. Und als er sieht, dass das Krokodil wieder eingedöst ist, fliegt er zu Matilda und Oskar hinüber und ruft: »Keine Gefahr! Das Krokodil ist pappsatt. Es hat neulich eine Riesenwasserschlange gefressen.«

Oskar, der gerade ins Wasser tauchen wollte, stutzt: »Riesenwasserschlange? Hier gibt's Riesenwasserschlangen?«

»Ja, klar«, sagt Matilda. »Dies ist der Urwaldfluss und keine Badewanne. Deshalb gehe ich ja auch nicht da hinein.«

»Sehr witzig«, erwidert Oskar. »Aber ich soll mich von so einer Riesenschlange fressen lassen!«

»Du kannst am besten tauchen!«, rufen Kokosnuss und Matilda.

Oskar seufzt, bindet das Seil an seinen Fuß, blickt auf das Wasser, holt tief Luft und springt hinein. Im Nu ist von dem kleinen Fressdrachen nichts mehr zu sehen. Als habe der Fluss ihn verschluckt.

»Oskar ist der mutigste Drachenjunge, den ich kenne«, murmelt Kokosnuss.

»Stimmt«, sagt Matilda. »Nur bei Spinnen stellt er sich an.«

Da taucht Oskar wieder auf.

»Ziemlich düster da unten. Und von Schatztruhen keine Spur«, prustet er. »Dafür habe ich noch einen Tontopf gefunden!«

Er wirft das Tongefäß an Bord und klettert hinterher.

»Da nimmt uns wohl jemand auf den Arm«, brummt Matilda.

»Langsam habe ich die Nase voll!«, beschwert sich Kokosnuss.

Und was steckt wohl in dem Gefäß? Richtig: ein Stück Leder mit einer Zeichnung. Diesmal aber finden die Freunde noch etwas anderes: einen Schlüssel!

»Der Schlüssel zur Schatztruhe!«, ruft Kokosnuss.

»Aber wo ist die Schatztruhe?«, fragt Matilda.

Oskar betrachtet das Stück Leder: »Da sind Berge drauf oder so was.«

»Berge?«, wiederholt Matilda und schaut sich die
Zeichnung an. Sie holt die anderen Lederstücke
hervor und legt sie aneinander. »Die Stücke
ergeben eine Karte des ganzen Dschungels!«,
ruft das Stachelschwein. »Dort, im Westen, lebt
die Würgeschlange, im Norden der Tiger, im
Osten das Krokodil und im Süden liegen die
Dschungel-Berge.«
»Aber bei den Dschungel-Bergen ist gar kein
Kreuzchen«, bemerkt Kokosnuss.
Nachdenklich betrachten die drei Freunde die
Karte. Ob der Schatz in den Bergen versteckt
liegt? Aber wo sollen sie mit der Suche
beginnen?

»Ich sehe ein Kreuz«, sagt Oskar plötzlich. »Ein ganz großes. Seht mal, die Ränder der Lederstücke bilden ein Kreuz. Und dort, wo die Ränder sich treffen, könnte doch der Schatz liegen.«

Kokosnuss staunt: »Das stimmt!«

Matilda aber blickt auf die Karte und murmelt: »Au Backe.«

»Wieso ›Au Backe‹?«, fragt Kokosnuss.

»Dort, wo sich die Ränder treffen«, erklärt das Stachelschwein, »liegen die Brüllenden Nebel. Das ist nicht weit von hier, im Urwaldsee.«

»Brüllende Nebel?«, fragt Kokosnuss.

»Manchmal, wenn der Wind vom See kommt«, berichtet Matilda, »trägt er ein schauerliches Gebrüll herüber. Eine Legende besagt, wer von den Brüllenden Nebeln verschluckt wird, kehrt nie zurück.«

»Oh«, murmelt Kokosnuss.

»Ach so«, murmelt Oskar.

»Hm«, meint Kokosnuss. »Manchmal stimmen Legenden gar nicht.«

»Aber oft haben sie einen wahren Kern«, sagt Matilda.

»Genau das müssen wir herausfinden!«, sagt Kokosnuss.

Die Brüllenden Nebel

Mit der Strömung des Flusses erreichen die Freunde auf ihrem Floß bald den Urwaldsee. In der Ferne erkennen sie eine Nebelbank.

»Die Brüllenden Nebel«, raunt Oskar.

Langsam treibt das Floß darauf zu. Kaum hat der Nebel sie verschluckt, wird es still.

»Ist das unheimlich hier!«, flüstert Matilda.

Dann wird der Nebel wieder lichter und vor ihnen taucht eine winzige Insel auf.

»Ob hier der Schatz versteckt liegt?«, murmelt Kokosnuss.

Kurzentschlossen ziehen sie das Floß auf den Strand der Insel.

»Huch, was ist das?«, fragt Oskar.

»Spuren von einem sehr großen Tier«, vermutet Kokosnuss.

»Gorillas«, flüstert Matilda. »Seltsam! Eigentlich ist die Insel viel zu klein für eine Gorilla-Familie.«

»Vielleicht ist es nur ein einziger Gorilla?«,
sagt Oskar.
»Gorillas leben aber nicht allein, sondern
immer mit ihrer Familie zusammen«,
erklärt Matilda. »Und auf so einer kleinen
Insel leben sie schon gar nicht. Gorillas
können nicht schwimmen. Sehr merk-
würdig.«
Vorsichtig betreten die Freunde den
kleinen Urwald. Sie sind noch nicht
weit gekommen, als Oskar ruft:
»Dort, eine Truhe!«

Tatsächlich – unter einem mächtigen Baum steht eine alte hölzerne Truhe.

»Der Schatz!«, jubelt Kokosnuss. »Wir haben ihn wirklich gefunden!«

Die Freunde rennen auf die Truhe zu. Plötzlich aber gibt der Waldboden unter ihnen nach und sie stürzen durch das Laub in eine tiefe Grube.

»Aua!«, schreit Matilda.

»Atschi!«, jault Oskar.

»Autsch!«, stöhnt Kokosnuss.

»Dauernd stürzen wir in irgendwelche Fallgruben!«, protestiert Matilda.[5]

»Wer die wohl gegraben hat?«, fragt Kokosnuss.

»Das kann ich euch sagen!«, hören sie eine unbekannte Stimme.

Erschrocken blicken die drei Freunde sich um. Aus der Grubenwand springt ein Maulwurf heraus.

»Schaut bloß, dass ihr von hier verschwindet!«,

[5] Stimmt nicht! Bisher nur bei »Kokosnuss und der schwarze Ritter« und »Kokosnuss und die wilden Piraten«.

sagt der Maulwurf. »Ding Dong kann jeden Moment zurückkommen.«

»Ding Dong?«, fragt Kokosnuss.

»Ja, der große Gorilla!«

Matildas Augen weiten sich: »Also doch ein Gorilla! Aber wie kommt der denn auf diese winzige Insel?«

»Ein Sturm hat ihn angespült, vor einigen Jahren«, erzählt der Maulwurf. »Jetzt kommt er nicht mehr weg, weil es auf der Insel kein gutes Schwimmholz gibt.«

»Der Arme!«, murmelt Matilda. »Er muss sich sehr einsam fühlen, wenn er schon so lange von seiner Familie getrennt ist!«

»Und was ist mit uns?«, brummt der Maulwurf. »Dieser Riesenaffe frisst uns Inselbewohnern alles vor der Nase weg! Und wenn er die Baumfrüchte weggeputzt hat, gräbt er die ganze Erde nach Nahrung um, wie ein Schaufelbagger! So hat er auch die Schatztruhe entdeckt, genau hier, wo die Fallgrube ist. Jetzt hält er sich für den Größten, weil er einen Schatz gefunden hat. Dabei ... Huch! Achtung!« Der Maulwurf zuckt zusammen. »Er kommt! Ich verziehe mich lieber. Viel Glück!«

Es raschelt im nahen Dickicht. Die Freunde hören schwere Schritte. Plötzlich ist es still. Dann erschüttert ein furchtbares Gebrüll die Insel.

»D-der G-Gorilla«, flüstert Matilda zitternd.

»Deshalb heißt das ›Brüllende Nebel‹«, bemerkt Oskar. »Weil der so brüllt.«

»Können wir einen Gorilla besiegen?«, fragt Kokosnuss mit leiser Stimme.

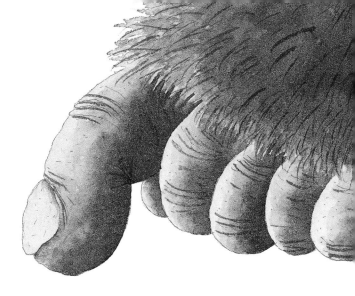

»Unmöglich«, raunt Matilda.
»Gegen einen Gorilla ist eine
Würgeschlange so harmlos wie
ein Regenwurm.«
»Kokosnuss«, flüstert Oskar, »du
kannst doch wegfliegen!«
Da schüttelt der kleine Feuerdrache den Kopf:
»Ich lasse euch nicht im Stich!«
»Aber vielleicht kannst du Hilfe holen!«, sagt
Matilda.
Doch noch ehe Kokosnuss überlegen kann, fällt
ein riesiger Schatten auf die drei Freunde in der
Fallgrube.

Ding Dong

Kokosnuss, Matilda und Oskar halten den Atem
an. Ein mächtiger Gorilla blickt über den Rand
der Fallgrube. Als er die drei Fremdlinge sieht,
richtet er sich auf, holt Luft und stößt ein schauerliches Siegesgebrüll aus. Dabei trommelt er mit
seinen riesigen Fäusten auf seine breite Brust.
Dann wendet er sich den Gefangenen zu: »Sieh
an, ihr wolltet wohl meinen Schatz stehlen! Aus
euch mache ich Gulasch mit Bananen und dann
fresse ich euch auf!«
Kokosnuss und Oskar kriegen einen Riesen-
schreck.
Matilda aber fasst sich ein Herz und ruft hinauf:
»Wie soll das denn gehen? Gorillas[6] fressen doch
gar keine Tiere!«
»Woher willst du das wissen, du Dreikäsehoch?«,
brummt der Gorilla.

---

[6] Gorillas ernähren sich von Früchten, Blättern, Halmen, Samen und
manchmal kleinen Tieren wie Termiten.

»Das weiß ich von den Gorillas im Dschungel hinter dem See«, antwortet Matilda.

Da schluckt der Riesenaffe und stottert: »D-du k-kennst G-Gorillas?«

»Klar! Ich wohne nämlich im Großen Dschungel.«

»Pah«, erwidert da der Gorilla. »Das kannst du deiner Großmutter erzählen! Den Nebel kann man nicht durchdringen und das große Wasser kann man nicht überqueren.«

»Doch, mit unserem Floß«, antwortet Matilda.

»Floß, pfft«, brummt der Riesenaffe. »Ich habe etwas viel Besseres als ein blödes Floß, nämlich eine Schatztruhe. Damit kann ich mir jeden Wunsch erfüllen.«

»Kannst du dich damit auch durch den Nebel und über den See wünschen?«, fragt Kokosnuss.

Da verschränkt der Gorilla die Arme vor der Brust, schaut in den Himmel und brummt: »Natürlich. Aber dazu habe ich keine Lust.«

»Wenn wir dir versprechen, die Insel wieder zu verlassen, lässt du uns dann frei?«

»Hm«, überlegt der Gorilla. »Ihr seid aber meine Gefangenen.«

»Wir wollten den Schatz doch gar nicht rauben, sondern nur entdecken«, erklärt Kokosnuss.

»Nur einmal anschauen«, sagt Matilda.

»Das kann ja jeder sagen«, brummt der Gorilla. »Außerdem geht das gar nicht.«

»Wieso? Ist in der Truhe gar kein Schatz drin?«, fragt Kokosnuss.

»Natürlich ist da ein Schatz drin«, erwidert der Gorilla. »Sonst würde sie ja Würstchentruhe heißen oder Käsetruhe.«

»Hast du denn schon mal hineingeschaut?«

Da wird der Gorilla ein kleines bisschen rot und murmelt:

»Das geht nicht. Die Truhe ist verschlos-

sen, weil der Schatz so ganz arg wertvoll ist.«
Kokosnuss holt unter seiner Kappe den Schlüssel
hervor: »Sieh mal, vielleicht passt dieser
Schlüssel!«

Der Riesenaffe stutzt: »Gib mal her!«

»Nur wenn du uns versprichst, uns freizulassen
und wenn wir auch einmal in die Schatztruhe
hineinschauen dürfen«, sagt Kokosnuss bestimmt.

»Hmpf«, brummt der Gorilla Ding Dong.
»Einverstanden.«

Vorsichtig hebt er Oskar und Matilda aus der
Grube heraus. Kokosnuss aber fliegt selbst zur
Truhe hinüber und steckt den Schlüssel in das
Schloss.

»Halt!«, ruft Ding Dong. »Das Öffnen ist meine
Sache!«

Der Riesenaffe dreht den Schlüssel. Es macht
KLICK – und Ding Dong hebt den Deckel.

»Uiiii!«, staunen Kokosnuss, Matilda und Oskar.
In der Truhe liegt wirklich ein prächtiger Schatz –
ein Riesenberg von Goldstücken! Er leuchtet und
glitzert in der Sonne.

Plötzlich aber schlägt der Gorilla den Deckel zu, setzt sich auf die Truhe, verschränkt seine riesigen Gorilla-Arme und brummt: »Jetzt habt ihr meinen Schatz gesehen. Dann könnt ihr euch ja wieder verpieseln.«

»Unverschämtheit!«, ruft Matilda empört. Sie hätte den Schatz gerne noch etwas länger ange-schaut.

»Pah!«, entgegnet Ding Dong. »Erstens ist das mein Schatz und zweitens bin ich viel stärker als ihr, ätschibätschi!«

»Kommt!«, sagt Kokosnuss. »Wir gehen. Herr Ding Dong möchte den Schatz ganz für sich allein.«

Als die drei Freunde sich auf den Weg machen, räuspert sich der Gorilla: »Äh, wo geht ihr denn hin?«

»Nach Hause, in den Großen Dschungel«, antwortet Kokosnuss.

»Äh, in den Großen Dschungel?«, wiederholt Ding Dong.

»Ja, wieso?«

»Nur so«, murmelt der Gorilla, bleibt auf seiner Truhe sitzen und blickt den drei Freunden nach. Am Strand schieben Kokosnuss und Oskar das Floß ins Wasser, während Matilda noch ein paar Früchte für die Überfahrt besorgt. Plötzlich schaut Ding Dong hinter einer Palme hervor. Erschrocken springt Matilda auf das Floß.

»Äh«, stottert der Gorilla. »Hättet ihr noch ein Plätzchen frei? Ich würde euch auch den Schatz schenken.«

»Hm«, überlegt Kokosnuss und betrachtet das kleine Floß. »Wir würden dich ja mitnehmen, aber ich fürchte, für uns alle ist unser Floß viel zu klein.«

»Ach so«, sagt Ding Dong leise. »Ja, dann, äh, gute Reise auch.« Mit hängenden Schultern dreht Ding Dong sich um und verschwindet im Dickicht der kleinen Insel. Die drei Freunde blicken dem Gorilla nach.

»Wisst ihr was?«, sagt Kokosnuss. »Ding Dong will zu seiner Familie zurück.«

»Der ist einsam«, sagt Matilda.

»So ein Schatz ist nicht gerade gesprächig«, sagt Oskar. »Und das Wasser kann er damit auch nicht überqueren.«

»Hm, vielleicht doch«, überlegt Kokosnuss und blickt zu Matilda.

»Was guckst du?«, fragt das Stachelschwein.

»Ich hätte da so eine Idee«, sagt der kleine Feuerdrache. »Meinst du, das Holz der Schatz-

truhe könnte vielleicht Schwimmholz sein?«
»Ganz sicher«, antwortet Matilda. »Aber nur,
wenn kein Schatz darin ist.«
»Eben!«, sagt Kokosnuss, springt wieder auf den
Strand und rennt zurück in den Insel-Dschungel.
»He, Kokosnuss, warte!«, rufen Matilda und
Oskar und folgen dem kleinen Drachen.

Nur kurze Zeit später legt eine seltsame kleine
Bootsflotte von der Insel der Brüllenden Nebel
ab: Ein fliegender Feuerdrache, ein Fressdrachen-
junge und ein Stachelschwein in einer alten
Holztruhe und ein großer Gorilla auf einem
Holzfloß schippern durch den Nebel zurück zu
den Ufern des Großen Dschungels. Der Gorilla
mit Namen Ding Dong erfüllt sich endlich den
größten Wunsch, den er sich denken kann: Er
kehrt zu seiner Familie zurück!
Kokosnuss, Matilda und Oskar aber freuen sich,
dass sie in Ding Dong einen neuen Freund
gefunden haben und dass sie die Schatztruhe mit
nach Hause nehmen dürfen!

Und der Goldschatz? Den haben die drei
Freunde mit Ding Dongs Hilfe in die Fallgrube
geschüttet. Ein richtiger Schatz gehört schließlich
vergraben, damit ihn auch noch andere Schatzsucher finden können!

Ingo Siegner
Der kleine Drache Kokosnuss und das Vampir-Abenteuer

72 Seiten, ISBN 978-3-570-13702-4

Der kleine Drache Kokosnuss und seine Freundin Matilda trauen ihren Augen nicht: Ein Vampir-Junge vollführt halsbrecherische Flug-Manöver über der Dracheninsel und versetzt alle in Angst und Schrecken. Was soll das? Will Bissbert die Inselbewohner beißen und alle zu Vampiren machen? Nur gut, dass Kokosnuss mutig genug ist, der Sache auf den Grund zu gehen: Vampir-Junge Bissbert sucht nämlich verzweifelt die eine Drachen-Blutgruppe, die Nachtblindheit bei Vampiren heilen kann! Denn Bissberts Vater fliegt nachts immer häufiger gegen Kirchtürme und Wolkenkratzer! Ob Kokosnuss und Matilda die Drachen überreden können, dem kleinen Vampir zu helfen?

cbj
www.cbj-verlag.de

Ingo Siegner
Der kleine Drache Kokosnuss
und die starken Wikinger

ca. 72 Seiten, ISBN 978-3-570-13704-8

Kokosnuss, Matilda und Oskar trauen ihren Augen kaum, als sie auf der Dracheninsel einen echten Wikinger treffen. Gudröd ist aber gar nicht so wild und gefährlich, wie es von den Wikingern immer behauptet wird, denn er sitzt momentan selbst in der Patsche. Er wurde auf der Dracheninsel ausgesetzt, weil er angeblich das goldene Trinkhorn von Häuptling Erik gestohlen haben soll. Zu allem Übel wird an Gudröds Stelle der gemeine Brodir zum Unterhäuptling gemacht! Da ist doch etwas oberfaul!, meinen Kokosnuss & Co. und beschließen Gudröd zu helfen. Ein wildes Abenteuer beginnt ...

www.cbj-verlag.de

Foto: privat

Ingo Siegner, 1965 in Hannover geboren, wuchs in Groß-
burgwedel auf. Nach Schule und Zivildienst wurde er
Sparkassenkaufmann, ging als Au-Pair nach Frankreich,
steckte seine Nase in die Universität und landete schließlich bei Vamos, einem hannoverschen Veranstalter für
Familienreisen. Auf vielen Reisen erfand er für die Kinder
fantastische Geschichten. Nebenher brachte er sich das
Zeichnen bei. Mit seinen Büchern vom kleinen Drachen
Kokosnuss, die in mehrere Sprachen übersetzt sind,
eroberte er auf Anhieb die Herzen der jungen LeserInnen.
Ingo Siegner lebt als Autor und Illustrator in Hannover.